科学大发现

神通广大的电

[美] 保罗·哈里森◎著 许若青◎译

中国少年儿童新闻出版总社
中国少年儿童出版社
北 京

鲁克和他的朋友们

鲁克是一位天才少年，他发明了一款名叫"虫洞"的手机 APP（应用程序）。只要用手机自拍一下，他和朋友们就能一起跨越时空，开启科学之旅。

何敏天资聪颖，甚至可以说是机智过人。她喜欢扮酷，总装作一副心不在焉的样子，其实她对科学有着火一样的热情。

蒋方很幽默，总喜欢胡闹。他的脑子转得很快，随口就能讲出笑话来，这或许是他脑子里装了很多知识的缘故吧。

宁宁是这群伙伴里年龄最小的一个，大家都很照顾她。她热爱运动，无论是跑跑跳跳还是打球，她都很擅长。

比特是鲁克的小狗，它很喜欢跟着大家一起探险。比特天不怕、地不怕，唯独害怕噪声。

目 录

闪电狗比特

　　远处，天空中迸发出一道道闪电，紧接着传来轰隆隆的雷声。

　　何敏向窗外张望，忽然看到小狗比特从窗前飞奔而过，"那不是比特吗？它要去哪儿？"

　　蒋方猛地反应过来，叫道："坏了，我记得比特很害怕噪声……快快快，咱们争取在下雨之前把比特给追回来，别让它淋雨。"

"哈哈,比特没那么娇气吧,淋点儿雨没什么大不了的。"何敏边说边和蒋方冲刺一般地追了出去,他们俩一连跑过了好几条街,终于在街心公园追上了比特。

伴着轰隆隆的雷声,豆大的雨点劈里啪啦地落下来。

"快过来,小家伙……"何敏急切地招呼比特。

蒋方跟着吹了一声口哨。

可是,小狗比特就像没听见一样,仍然在公园里不停地绕圈跑,还不时地朝着闪电的方向汪汪大叫。

"小家伙!快过来!"

比特终于停下来,扭头看了看蒋方和何敏,赶紧跑了过来。

"我已经湿透啦!快去大树底下避避雨吧!"蒋方一边说,一边招呼何敏和比特往大树下跑。

"比特,下回可不能再这样跑出来啦,你不是不喜欢打雷吗?"蒋方抚摩着比特,"对了,你知道鲁克去哪儿了吗?"

又一道闪电从天空划过。

蒋方紧紧抓着比特的项圈,感到比特打了一个寒战,"别害怕,比特。看来,咱们得快点儿离开这里,我觉得雨会越下越大……"

"何敏、蒋方,你们快离开树下!那里很危险!"鲁克

一边大声喊叫，一边跑过来，双手还焦急地比画。

鲁克跑到伙伴们跟前，上气不接下气地说："谢谢你们帮我找到比特！刚才雷声一响，比特就跑了出来……我本想从梅奶奶家的花园抄近道追上它……结果跟丢了……你们刚才在树下太危险了……咱们赶快走吧，到我家去。"

大家刚进门，倾盆大雨便落了下来。

"先擦一擦头发吧，千万别感冒。"鲁克从抽屉里拿出几条毛巾，扔给蒋方和何敏，"在比特跑掉前，我正和宁宁研究这些符号呢，这张纸片是在她家的储物间里发现的。"

鲁克正要用毛巾擦比特身上的雨水，比特突然一个箭步蹿了出去，躲开了他，然后使劲儿抖了抖身体，大家又被它甩了一身水。

宁宁安静地坐在沙发上，盯着一张写满奇怪符号的纸片。看到大家狼狈的样子，她扑哧一声笑了出来，"我在储物间里发现了一张奇怪的纸片，正和鲁克研究呢。你们这是去哪儿了，怎么都变成落汤鸡了？"

"我们刚才和比特玩水去了呀，你没去真是太可惜了……"蒋方眨了眨眼，和宁宁开了个玩笑。

"外面的雷声可真响呀！咱们要是现在还留在树下，很容易被闪电击中，那可太危险啦！你们知道闪电的威力吧？"

蒋方似乎并不在意，"我知道闪电很危险，可我不喜欢被雨淋湿，所以就跑到树下去了。"

鲁克突然严肃起来，"闪电真的特别危险！雷雨天在树下避雨特别容易遭到雷击！你知道吗？闪电其实就是剧烈的放电现象。"

"电？就是能让电器工作的电？"宁宁好奇地问。

"是的，和我们用的电一样。不过，自然界中的闪电可比我们的生活用电危险得多。雷雨天时，积雨云中充满了上下奔窜的水汽，它们在运动过程中会产生静电，在云的上端产生正电荷，下端产生负电荷，而地面是带有正电荷的，因此，当云中的正负电荷堆积到一定程度，电压足够大时，就会击穿空气，使空气瞬间膨胀爆炸、发热发光，这就是闪电。有的时候闪电会从一片云射到另一片云，当然也有直接射到

地面建筑物、树木的情况。"

蒋方打了个冷战。

"所以雷雨天千万不能躲在树下!"鲁克接着说。

"那闪电到底有多危险?"何敏追问道。

"打个比方吧,手机电池的电压一般不超过 5 伏,家用电源的电压是 220 伏,就算是工业用电,电压大多也只有 380 伏,而自然界中闪电的电压一般能达到上亿伏,这股巨大的能量甚至能够瞬间将周围空气的温度提高到 3 万摄氏度。"

"呃,闪电这么危险啊……"蒋方有些后怕了,"上周,我老爸用烤箱做蛋糕,我记得温度也就是 175 摄氏度。要是被 3 万摄氏度的空气烘烤一下,咱们就变成黑炭了。"

"那雷声和闪电是同时产生的吗?"何敏继续追问。

"雷声和闪电几乎是同时产生的。雷声其实来源于空气的热胀冷缩。闪电周围的空气温度瞬间升高导致空气开始迅速膨胀,产生了空气的振动。这种振动就是咱们听到的雷声了。"鲁克眼睛一亮,"对啊,我们去找本杰明·富兰克林,请他给咱们讲讲更多有关雷电的知识。"

"本杰明·富兰克林?好像科学课和历史课老师都提到过这个名字。"

　　鲁克掏出手机，打开"虫洞"应用程序，然后招呼大家凑到一起，"好啦，你们还记得怎么做吧？"

　　宁宁瞪大眼睛，兴奋地说："真期待这趟旅行。"

　　"目的地和时间已经设置好了，我们准备出发。"鲁克伸直胳膊，高举手机，按下了出发按钮。

富兰克林的风筝

一道闪光！

时空转换——

闪光过后，大家置身于一间小木屋，屋外，雨水正哗哗地倾泻到空旷的草地上，不时还伴有阵阵风声和雷声。

"这是哪儿呀？"

鲁克看了看周边的环境，然后指着卧在稻草堆里的两头牛，"宁宁，我想这里应该是牛棚。"

牛棚外，有两个人紧紧地靠在一起，他们死死地按着头上的帽子，生怕它们被大风吹跑。

"这位是本杰明·富兰克林，旁边那位是他的儿子威廉·富兰克林。他们认为闪电是一种放电现象，但始终没有找到证明的办法，于是，他们打算在暴风雨里放风筝，希望能在闪电中测到电流。"

"在暴风雨里放风筝？按照你刚才所说的，这也太危险了！"何敏惊讶地说。

"这确实很危险。不过，富兰克林很幸运。他们在实验时只捕捉到少量电荷。要是被闪电直接击中的话，那可就惨了……"鲁克突然想到了什么，"对了，我想咱们应该去看看富兰克林的风筝。"

伙伴们来到牛棚门口，向天上望去，只见一只菱形的风筝正在天上来回打转。这只风筝包裹着绸缎，顶端笔直地插着一根金属线。富兰克林死死地拽住风筝线，看风筝飞稳了，便把风筝线交给了儿子，然后用丝绸带子将一把钥匙系在了风筝线上。

"说到电，导体扮演着非常重要的角色。"鲁克指着那把钥匙说。

"那明明是一把钥匙嘛。"宁宁对鲁克的话很疑惑。

"导体是可以传导电流的物质，金属是最常见的一类导体，我们能想到的金属，比如铜、铝、银、铁，还有黄金，都是很好的导体。"

蒋方紧跟着补充："金属是很好的导体。富兰克林父子把金属线拴在风筝的顶上，还在风筝线上系上一把金属钥匙……也就是说……"

鲁克点了点头，"对，就是你想的那样，风筝会把雷电引过来！"

他们说话间，天空中突然亮起一道光，紧接着雷声滚滚传来，吓得大家赶紧抱在一起。

鲁克安慰大家说："放心吧，这只是'虫洞'应用程序营造的虚拟情境，雷电不会伤害到咱们的。"

这时，本杰明·富兰克林转过身来，大声喊："你们好啊！我刚才有点儿忙，没顾上和你们说话。"

鲁克冒雨跑过去回答，"您好，富兰克林先生！您的实验进展如何？"

"现在还不好说，这里的风太大，我们很难控制住风筝。"

"您在大雨天进行实验真的没问题吗？"蒋方为他们父

子的安全担心。

"没问题的。雨水的导电能力很好！如果闪电像我预想的那样自然带电的话，被雨水打湿的风筝线就能把风筝顶上金属线接收到的电流传导到那把钥匙上。"

又一阵狂风吹过，风筝不住地往下栽，本杰明·富兰克林赶忙回身给儿子帮忙。

一道闪电划破天空。

小伙伴们焦急地盯着，大家发现风筝线上竖起来好多小线头，看起来很像起了茬儿的毛发。

鲁克指着风筝线说："风筝线上积聚了电荷，所以那些小线头都立起来了。"

这时，本杰明·富兰克林突然伸出手，去够风筝线上的钥匙。

鲁克回过头，严肃地提醒大家，"各位，我们可绝对不能这么做！"

就在本杰明·富兰克林的手指触碰到钥匙的一刹那，从钥匙上蹿出一道小火花，跳到了他的手上，本杰明·富兰克林被电了一下。他先是一惊，然后开心地大喊："我们成功啦！风筝线上有电！钥匙上面蹿出电火花了！这就是铁证，闪电就是电！"父子俩激动地欢呼起来，全然不顾外面的暴风雨和被大风吹跑的帽子。

"哇！你们看到那道火花了吗？我简直不敢相信自己的眼睛！"宁宁也跟着开心地欢呼起来。

"太神奇啦！"何敏也跟着庆贺。

雷声隆隆，狂风呼啸，鲁克大喊："咱们赶快回家吧！"

鲁克调整了几下"虫洞"的设置，伴随着一阵闪光，大家终于回到了鲁克家的厨房。

宁宁环视厨房，最后将目光停留在了搅拌机上，"那么，富兰克林父子在实验中发现的电，就是能让这个搅拌机转起来的电吗？"

"对呀！宁宁，你很聪明嘛！"鲁克竖起了大拇指。

"那为什么我拿起搅拌机的电线，却没有被电到呢？本杰明·富兰克林明明被钥匙电了一下呀。"宁宁感到非常纳闷儿。

"这是因为在电线的外面包裹了一层橡胶，它与导体刚好相反，不容易导电，人们称这类物质为绝缘体。绝缘体有很多，许多非金属物质都是绝缘体，比如橡胶、木头、纸、玻璃、棉花什么的。"

蒋方从鲁克手中拿过手机，查找到了更多关于本杰明·富兰克林的介绍，"不好意思，打断一下。你们看，本杰明·富兰克林还发明了避雷针呢。"

鲁克接过这个话题："我记得本杰明·富兰克林在做完这个风筝实验后，便发明了避雷针，就是一根长长的金属杆。人们将它竖在建筑物的顶端，当闪电来袭时，避雷针便会将闪电引向大地，保护房屋不被闪电击中。"

"你的意思是，避雷针的作用其实是将闪电引向大地，而不是让它击中房屋？"何敏在认真思考后得出了结论。

鲁克点点头，"完全正确！避雷针保护了很多人和建筑。其实，本杰明·富兰克林自己家的房子就被避雷针保护过。我觉得避雷针绝对称得上一项'幸运发明'！"

熟悉又陌生的静电

雷雨还在继续，天空阴沉沉的。窗户玻璃上，雨水一缕一缕地流淌下来，挂在玻璃上的雨滴在闪电的映衬下显得格外晶莹剔透。

"我简直不敢想象从前那种没有电的日子。"宁宁说。

"多亏本杰明·富兰克林的发明呀！"蒋方随口搭话。

何敏摇了摇头，瞟了蒋方一眼。

"呃……别那么较真嘛……当然，电不是谁的发明，而是本来就存在的。"蒋方继续解释，"可无论如何，本杰明·富兰克林帮咱们弄清楚了什么是电，还是很了不起的。"

宁宁好奇地追问："不过，人类最早是在什么时候发现的电呢？"

鲁克在手机上检索了一会儿，"嗯，就是这个了。这份资料记载，大概在 2500 年前，古希腊人发现，琥珀和动物的皮毛相互摩擦后，细毛就会贴在琥珀上。"

"那是静电吧？在脱毛衣时出现的噼噼啪啪声也是因为静电吧？"何敏接着鲁克的话说。

"说的对！静电是一种常见的带电现象，就是电荷聚集在了物体上或者物体表面。电荷有正电荷和负电荷两种，所有物体里都有电荷……"

"等一下，你说所有物体里都有电荷？可是，我在喝牛奶、看书的时候，从来没有被牛奶和书本电到过呀。"宁宁感到有些不可思议。

"是这样的，所有物体都是由一个个微小的粒子构成的，人们称这些微小粒子为原子或分子……等一下。"说着，鲁克拿来纸和笔，然后开始画了起来。

"这是什么？看起来还挺可爱的。"宁宁指着纸上的圆圈问。

"原子。所有物体都是由数不清的原子构成的——我们的身体、毛衣、牛奶、书本……一切物体。"鲁克边画边说，"每个原子都有一个原子核，它位于原子的核心部分，吸引着原子其余的部分。原子核是由质子和中子两种微粒构成的，其中质子带正电荷，中子不带电。"

"我有点儿晕，什么是正电荷？"蒋方问。

"电荷分正电荷、负电荷两种，同种电荷相互排斥，异种电荷相互吸引。"鲁克在刚画好的原子核周围又画出几个小圆

质子　电子

原子核

圈，"原子核中的质子就带有正电荷，能够吸引周围带有负电荷的电子绕着原子核转圈，就好像地球绕着太阳公转一样。"

不一会儿，一张完整的原子结构示意图就展现在大家的眼前。鲁克一边在图上标注各部分的名称，一边解释，"通常情况下，一个原子所具有的质子数和电子数是相同的，所以正负电荷相互抵消，从整体看的话，这个原子就是不带电的。"

"这也就是为什么咱们在喝牛奶或者看书的时候，不会被电到的缘故了，对吧？"宁宁恍然大悟。

"对。但是在特殊情况下，比如在雷雨天时，云层中一些物质的原子就会相互碰撞，变得十分活跃。在这个过程中，一些电子会从一个原子跑到另一个原子，那些得到了电子的

原子，便会显现出负电荷，而失去了电子的原子，就显现出正电荷。还记得我们刚才说过的异种电荷相互吸引吧？带有正电荷的原子与带有负电荷的原子相互吸引，那些原本跑出去的电子又快速地回到以前的原子里。"

大家盯着那张原子结构示意图，有的在挠头，有的眉头紧锁，似乎没太明白。鲁克拍了一下脑门儿，然后跑到门厅，拿回来一个黄色气球。

"你要做什么？"宁宁盯着气球问。

鲁克把气球吹鼓，然后系好口，"我们直观地看一看静电。"说完，鲁克拿着气球在比特的背上轻轻地摩擦。比特先是好奇地看了看，然后很享受地趴到地上。

"比特的毛里有数不清的原子，当然，气球也有。这些原子绝大部分都是中性的。当我用气球摩擦比特的毛时，这些中性的原子就会产生变化，比特毛上的电子被蹭到了气球上，现在，气球带有负电荷了。"

"也就是说，比特带有正电荷啦。"宁宁开心地笑了起来。

"对！异种电荷相互吸引，带正电荷的原子会吸引电子。接下来，咱们就能看到……"鲁克停止了摩擦，然后慢慢地将气球从比特的背上拿开，只见比特背上的毛都跟着竖了起来，看起来很想抓住气球，不让它离开。

"看到了吧？带有正电荷的毛和带有负电荷的气球在互相吸引！"

"真神奇！我能试一试吗？"宁宁已经按捺不住激动的心情。

"没问题，不过你一定要轻点儿。"鲁克把气球递给宁宁。

宁宁开心地接过气球，她太兴奋了，以至于在比特的背上越擦越起劲儿。突然，只听嘭的一声，气球应声爆炸，吓得比特一溜烟儿地跑出了厨房。

"噢！对不起！"宁宁沮丧地说。

"没关系的，别在意。我有个主意，你们都穿袜子了吗？"鲁克的眼神里透着一丝神秘。

何敏和宁宁看着鲁克，两人一脸茫然地点了点头。

蒋方低头确认了一下，"我穿了。你这么问，怎么跟要去商场逛袜子专区似的？"

"妈妈不喜欢有人穿着鞋踩客厅的地毯。来，咱们把鞋脱了，到客厅看看还有没有气球。"说完，鲁克拿起手机，带着大家一起来到客厅，"下面，该试试手机的缩放功能了，咱们在'虫洞'营造的虚拟情境中，去观察一下电荷的转移吧。"

鲁克举起手机，准备自拍。

不等鲁克招呼，小伙伴们早已紧紧凑在了一起。

一道闪光！

时空转换——

闪光过后，大家发现自己似乎还是在客厅，只不过那些家具、电器都变得巨大无比。

"哇，我从来没见过这么壮观的沙发，还有电视……咱们这是到了小人国吗？"蒋方兴奋地喊道。

鲁克被逗笑了，"好戏还在后面呢！比特刚才好像躲到了沙发的另一头，走，咱们看看去。"

大家绕过沙发，一个长着茂密"森林"的"比特大山"映入眼帘。

鲁克拿起刚刚找到的气球，把它吹鼓、扎紧，在"山脚下"摩擦起来。当他把气球移开时，比特的毛又一次随着气球竖了起来。变小的伙伴们发现，在气球和比特的毛发之间，有许多微小的电火花不停地闪烁。

鲁克指着这些电火花，招呼伙伴们，"快看，这就是从气球上跳到比特毛上的电子。"

突然，何敏跑到蒋方跟前，伸手摸了一下蒋方，只见一颗小小的电火花从她的指尖蹿到蒋方胳膊上。

"哇！你可真厉害！"蒋方惊讶地欢呼起来，好奇地问道，"你是怎么发射电火花的呀？"

"我只是想看看电荷是如何转移的。"何敏兴奋地回答，"我记得用袜子在地毯上摩擦能够产生静电。"

大家见状，都在地毯上开心地跑了起来，他们用手指相互触碰，小小的电火花在他们的指尖跳来跳去。

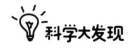
 糟糕，停电了

啪的一声，随之屋里突然闪亮了一下，紧接着，灯灭了。鲁克赶紧关掉应用程序，观察情况。大家发现，屋里所有的灯都不亮了，就连电视机上的红色待机指示灯也熄灭了。

停电了。

"可能是闪电击穿了我家的断路器。我记得厨房里有手电，咱们看看去吧。"鲁克提议。

大家回到厨房，鲁克看到妈妈在，就问："妈，咱家的手电在哪儿？"

鲁克妈妈答道："我不太记得了。不过，这里有前几天看演唱会时剩下的荧光棒。"说着，鲁克妈妈从一个盒子里拿出荧光棒，分发给大家。

小伙伴们纷纷弯折荧光棒，摇匀里面的液体。不一会儿，荧光棒便发出了亮光。

"欢迎你们来玩儿，真不巧，停电了。等会儿雨停了你们再回家吧，我开车送你们。现在，先给你们的爸爸妈妈打个电话，别让他们担心。"鲁克妈妈很热情，"饿了就拿点

儿零食吃，别客气！"

"是啊，我得先告诉妈妈一声。宁宁，你也赶紧打个电话吧。"何敏拉着宁宁去打电话，"不过话说回来，什么时候能来电呢？"

鲁克在漆黑的冰箱里翻来翻去找吃的，"这恐怕得看具体情况了。"他从冰箱里拿出一包胡萝卜条，倒进碗里，"应该有两种可能。"

"哪两种可能？"何敏追问。

"一种可能是，被折断的树干或者树枝把我家的电线压断了……"鲁克一边用力嚼着胡萝卜条，一边说。

"那可麻烦了。"蒋方插话道，"另一种可能呢？"

"另一种可能是闪电击中了电线或者在电线附近经过，造成电线里的电流瞬间飙升，形成了电涌。我家的断路器是保护屋里电器的重要设备，在发生电涌时会立即自动跳闸，于是屋里的供电就中断了。"

"断路器是什么呀？我怎么从来没见过？"宁宁在黑暗中追问。

"断路器是一种控制电路开合的装置。当出现电涌等异常情况时，它会自动跳闸，切断电路。"

"照你的说法，是断路器主动断的电？"蒋方刨根问底。

"如果屋里流入过大的电流，很有可能发生电击或者造成电器起火，设置断路器就是为了避免出现这种危险情况。"

"那怎样才能恢复供电呢？"何敏在屋里绕圈，她可不想总是这样待在黑暗里。

"我想电力公司应该会派维修人员来检修。"鲁克回答，"如果只是断路器跳闸的话，维修人员会在检修后合上或更换断路器，这样就可以恢复供电啦。"

"要是我，才不会在这种天气里到户外工作呢！真是糟透了。"何敏一边说，一边掏出了手机，"糟糕！我的手机没电了！现在屋里也没法充电。唉，怎么办呢？"

"也许，咱们可以制作一个电池。"鲁克不慌不忙地说，"还好，我的手机还有电，我想'虫洞'应用程序能帮助我们。出发，一起去看看电池是怎么发明的吧！"

一道闪光！

时空转换——

令人疑惑的动物电

闪光过后，伙伴们发现周围的景象变成了实验室。实验桌前，一位头戴灰白色假发的先生正在全神贯注地做研究。

鲁克看了一眼手机屏幕，懊恼地说："不好！我们来错地方了，'虫洞'把咱们带到了1781年的意大利。"

大家四处张望，发现外面和家里的天气一样，也是雷雨交加。一阵雷声过后，小狗比特紧张地蜷缩成一团，两只爪

子死死地捂住了耳朵。

"他在干吗？好像在研究一只……青蛙？"何敏既惊讶又疑惑。

鲁克说："这位是意大利医生、物理学家路易吉·伽伐尼，我想他正在研究青蛙的痉挛现象，这帮助他提出了动物电的概念。这个成果后来间接促成了伏打电池的发明呢。"

"走，咱们赶紧向他请教请教，说不定我们会有什么新的收获呢！"宁宁踮着脚，兴奋地蹦了起来。

"他能帮我给手机充上电吗？"何敏问。

"不管啦，即使造不出电池，说不定他还能用电煎出几条青蛙腿给我们吃。我的肚子都咕咕叫了。"蒋方着急解决肚子饿的问题。

何敏瞟了蒋方一眼，说："你总是喊饿！再说了，青蛙腿能吃吗？"

"在意大利，油炸青蛙腿确实是一道不可多得的美味。"宁宁笑着说，好像在故意气何敏。

"别说了，别说了，说得我更饿了！"蒋方揉着肚子求饶。

小伙伴们前拥后簇地冲进实验室。

"请问，您是伽伐尼先生吗？"

25

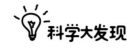

戴假发的先生猛地直起身，一脸惊讶，"亲爱的孩子们，你们好！有什么问题吗？"

鲁克赶紧答道："您好，伽伐尼先生，我们对您的这个实验十分好奇，请问您用青蛙来做什么呢？"

伽伐尼面带微笑地看着大家，说道："青蛙？哈哈，对！就在刚才，我发现了动物电。"

"动物电？您的意思是这只青蛙的身体里有电？"宁宁惊讶地问。

伽伐尼坚定地点点头，"是的！在青蛙的神经和组织里面，有微小的电粒子在活动。如果我们把金属连接到青蛙的神经和肌肉上，它们就能产生抽搐和痉挛。"

"您是如何实验的呢？"宁宁追问。

"首先，需要两种不同的金属——比如，这把解剖刀是铁的，这个钩子是铜的——有了它们，就能让电流在青蛙体内流动起来。你们看……"

说着，伽伐尼把青蛙固定好，然后小心地把解剖刀和钩子刺进青蛙的肌肉。突然，青蛙的腿开始胡乱地蹬。

"哇！"大家不约而同地惊叫起来。

伽伐尼先生还没开口，鲁克便抢先说道："真是个神奇

的发现！我们先不耽误您工作了，感谢您给我们演示实验。"

"这么快就要走了吗？好吧，那就再见啦！随时来玩儿！回头见！"

鲁克催促伙伴们离开实验室，伽伐尼和大家挥手道别后，又俯身研究青蛙去了。

"动物的身体里有电流吗？这又让我想起了那部电影《科学怪人》。"蒋方回想着电影里的惊悚画面，幽幽地说。

"你的胆子可真小，两位女士还没说害怕呢！"鲁克笑话起蒋方来，"其实，我刚才急着和伽伐尼道别，就是不想让你们害怕。"

"哼！你这么一说，我原本还不怎么害怕，现在倒真有点儿害怕了！"何敏对鲁克的做法有点儿气恼。

"没事的，那只是个实验嘛。我听表哥说，这还是生物课上的一个重要知识点呢。"鲁克走到何敏身边拍拍她，以示安慰，"不过，话说回来，电影《科学怪人》的原著可是文学史上第一部科幻小说呢！据说作者玛丽·雪莱正是在了解了伽伐尼的研究发现后，爆发了创作灵感。"

"别说了，别说了……"宁宁挽着何敏的胳膊，使劲儿瞪着鲁克。

"不说那些了。你们知道吗？其实，伽伐尼发现的'动物电'，并不是我们现代科学中所说的'生物电'……"

"那它是什么？"蒋方疑惑地问。

"如果我们将两块用导线相连的金属放入同一个湿润的环境中，通常也会产生电流。"

宁宁一边琢磨，一边问道："就像把解剖刀和钩子插入青蛙腿里那样？"

"完全正确！所以，产生的电流并非来自青蛙的身体，而是来自实验工具。不过，有一件事情伽伐尼先生说对了，青蛙的抽搐和痉挛的确是电流的作用，它的反应证明了电流

的存在。"

"这也就是说，伽伐尼的实验并不成功？"何敏有点儿失望。

"是的，但也不全是。其实，许多科学研究都是这样的，虽然犯了错，却带来了新发现。伽伐尼的发现确实和他预设的结果不一样，但他发现了更加有趣的现象。"

"那我们总算没有白跑一趟。"何敏长出一口气，"对了，电池的事情怎么办？"

"哦，我差点儿把这事给忘了！我先调整一下'虫洞'的数据，这事咱们得去问问亚历山德罗·伏特。他研究了伽伐尼的发现，制造出了世界上第一个电池组——伏打电堆。"鲁克一边说，一边调整着手机，"好啦！"

蒋方把比特从沙发旁叫了过来。

"来吧，小家伙，要出发啦！"

一道闪光！

时空转换——

这就是电池

闪光过后，伙伴们发现周围的景象变成了富丽堂皇的欧式宫殿。宫殿里的装饰极尽奢华，墙壁上挂着用金色画框精心装裱的真人比例的肖像画。在房间正中，几位身穿华美礼服的人正在仔细研究桌子上的管状设备。

蒋方指着人群中一位戴着二角帽的人问："中间戴着滑稽帽子的那个人怎么看着那么面熟？"

"他就是大名鼎鼎的拿破仑·波拿巴，他的个子并不矮

嘛！"何敏兴奋地说道。

鲁克指着站在人群外的一个人，"那个人就是亚历山德罗·伏特，他正在为拿破仑以及一些学者展示他的新发明——伏打电堆呢。根据手机上显示的数据，现在是1801年，这里是法国巴黎。"

"亲爱的朋友，你们这么年轻就成为拿破仑陛下的科学顾问，真是前途无量啊！"短暂的寒暄后，伏特开始为大家演示，"伏打电堆是由锌片、铜片和用电解液完全浸湿的硬纸片依次连续堆叠而成的……"

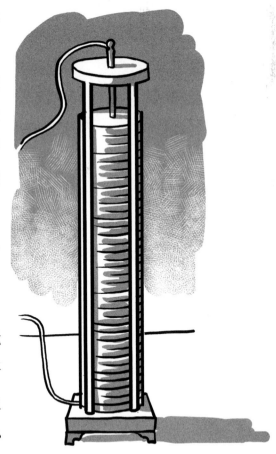

鲁克小声对伙伴们解释："电解液就是含有特定离子的液体，它能够导电。"

"……每一组小电池——就是由一个锌片、一个铜片、一个硬纸片组成的结构——只能产生很少的电流。但如果将许多组小

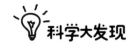
电池首尾相连的话……"

"你们听到了吗，伏特刚才说到了'电池'这个词！何敏，你的手机有希望充上电了！"宁宁满怀希望地看着何敏。

"嘘——"何敏示意宁宁保持安静。

"……小电池组越多，所能产生的电流就越大。伏打电堆能够为我们提供稳定的电流。你们看，我在伏打电堆的头部和尾部缠绕了金属线，现在我们只需要将两端的金属线连到需要用电的物体上，就可以了……"伏特滔滔不绝地介绍着。

"这就是说，伽伐尼在青蛙体内发现的动物电，实际上只是两种金属和青蛙体内的液体发生作用产生的。"何敏努力地回忆上一段旅行。

宁宁也明白过来，"原来是这样！伏打电堆里面被电解液浸湿的硬纸片，起到的作用和青蛙体内的液体一样。"

鲁克拍手叫好，"哈哈！看来大家都弄明白了，咱们这趟任务就算完成啦！"

鲁克调整了一下手机设置，眼前的宫殿连同拿破仑、伏特，还有其他学者一下子消失得无影无踪。

蒋方忽然拍了一下脑门儿，"不过，从伏打电堆问世到现在，已经过去200多年了，这期间，电池一定经历了许多

变化。而且用伏打电堆给何敏的手机充电，总感觉有些不对劲儿。"

"蒋方说的对，伏打电堆产生的电流其实并不大，如果继续增加小电池的数量，电堆会变得更沉，这反倒不利于电流传导了。"鲁克一边说，一边在厨房抽屉里不断翻找着什么，"不过，我们如今使用的电池，原理和伏打电堆还是一样的。电池外皮包裹着的正负电极，其实就是两个导体。"

"那正极和负极有什么不同呢？"蒋方刨根问底。

"你还记得刚才咱们在客厅地毯上玩儿的游戏吗？"鲁克把手摆成手枪的样子比画着，"电解液中带有负电的离子会在电池负极上发生化学反应，导致电子进入导体。当我们给手电筒装上电池后，打开开关，电路联通，电子就会从电池负极流出，流经灯泡等部分，最终达到正极，电子的这种流动现象就是电流。"他又举着荧光棒，开始翻动冰箱里的抽屉。

"那电池没电又是怎么回事呢？"何敏举起没电的手机问道，紧接着又无奈地叹了口气。

"这和我刚才说的'化学反应'有关。也就是说，如果参加化学反应的物质被消耗光了，电池就没电了。"鲁克把从各处翻找出来的东西，放到一个碗里，然后转身去了客厅。

"听声音不太像是零食……"说着，何敏好奇地看了看，原来，碗里放了一个柠檬、一根钉子和一小截细电线。

"我回来了！"鲁克用从车库找来的剥线钳剥掉了细电线的外皮，"宁宁，可以帮我把柠檬在桌上滚一滚吗？我想把它内部的膜挤破，让果汁流到一起。"

"没问题！"说着，宁宁便按着柠檬在桌子上来回滚动起来，屋里瞬间有了柠檬的香气。

鲁克把剥好外皮的电线捋直，用湿纸巾将钉子擦干净。

"咱们要做什么？"蒋方一时摸不到头脑。

"对呀，可以做个柠檬电池！"何敏恍然大悟，猜到了鲁克的想法，"电线芯是铜的，钉子外面镀的是锌，再加上柠檬里的酸性果汁，简直是绝配呀！"

"宁宁，把柠檬递给我吧。"鲁克把铜线和钉子插进柠檬，然后从兜里掏出一个小灯泡，把灯泡的一根电线接到铜线上，另一根电线接到钉子上。大家惊奇地看到小灯泡发出了微弱的亮光。

"成功啦！"

"漂亮！"

"真不可思议，柠檬竟然变成了电池！"

何敏、蒋方、宁宁轮流接过柠檬仔细观察。鲁克又拿起荧光棒，在冰箱里继续翻找起来。

"真神奇！但是，我们能让灯泡变得更亮一些吗？"蒋方问。

"再加个柠檬可以吗？"宁宁试着给出解决方案。

"可是……家里没有柠檬了……"鲁克失望地关上了冰箱门。

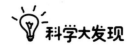

揭开电和磁之间的秘密

"要给手机充电，我们得用多少个柠檬呀？"何敏按了几下手机电源键，依然毫无反应。

宁宁把手搭在何敏的肩上，安慰她："别担心！咱们肯定能找到给手机充电的方法。"

"我觉得，柠檬电池虽然能产生电流，但肯定不能给手机充电。"蒋方摸着后脑勺说，"电力公司要如何发电，才能保证整个城市的用电呢？"

"它们肯定得有一个巨大的碗，这样才能装得下那么多的柠檬。"何敏开起了玩笑。

大家笑得前仰后合。

笑完，鲁克说："其实，电力公司是用磁铁来发电的。"

"就用冰箱贴上的那种磁铁？"蒋方不太相信鲁克的说法。

"千真万确！不过，电力公司用的是电磁铁，而且非常大。"鲁克掏出手机，在大家面前晃了下，"要不咱们去看看？"

一道闪光！

时空转换——

一瞬间，周围的场景变成了一间实验室。实验室里摆放着许多奇形怪状的实验设备，伙伴们只能认出其中的伏打电堆、指南针、电线轴等少数物品。晚风轻柔地吹过，屋里被橘黄色的烛光映照得忽明忽暗，一位身材瘦削的先生正聚精会神地研究着什么。

"这位就是交流电之父迈克尔·法拉第先生，他发现了电磁感应现象，进而研究出产生交流电的方法。"鲁克一边翻阅手机资料，一边给大家做介绍。

"这间实验室里的仪器怎么这么奇怪？咱们这是在哪儿？"宁宁四处观望，仍然找不到头绪。

"现在是1831年，这里是地处英国伦敦的皇家研究所。"

"你说的没错，能在这里工作是我不断努力的结果。刚来到这里时，我只是个实验助理，现在我已经是实验室主任了，可以独立进行研究，并开展实验了。"法拉第抬起头，微笑着对大家说，"你们来这里有何贵干？"

鲁克恭敬地回答："法拉第先生，您好！我们非常好奇您是如何用磁铁来发电的，您能抽出一点儿时间给我们讲解一下吗？"

法拉第投来赞许的目光，"你们可真是有礼貌的孩子，

没问题，我的朋友们。我正在研究这个问题呢。我制作了一个电线圈，接下来，我们一起进行实验吧。"

"是放在桌子另一边的那个东西吗？"宁宁问。

"是的，我把电线缠绕在纸筒外壁，然后在电线的尾端连接上电流计，用来检测电流。"

法拉第在本子上做好标记，然后，他一只手拿着线圈，另一只手拿着磁铁在线圈中间来回移动。大家清楚地看到，随着磁铁的移动，电流计上的指针跟着摆动起来！

法拉第喜出望外，他为自己的发现感到高兴。大家也跟

着一起欢呼。

法拉第说："磁铁移动得越快，电流就越强。我发现，用手来回移动磁铁，可能没法产生稳定连续的电流，这是我目前正在努力解决的问题，如果能加速磁铁的移动，那将是一个重大突破。"

"谢谢您的讲解。"何敏说着，向法拉第先生行了个礼。

"这是我的荣幸！"法拉第回了个礼。

"那我们先不打扰您工作啦。再见！"大家开心地和法拉第道别。

"这就是发电机的原理吧？现如今的发电机也是依照这个原理工作的吗？"蒋方问道。

"是的。现代发电机的确是运用法拉第的这个发现制造出来的，不过，它的个头儿非常大，这样才能满足如今庞大的用电需求。"鲁克调整了一下"虫洞"的设置，"接下来，咱们去发电厂转转吧，我找到附近发电厂的照片了，虚拟参观可比直接去发电厂参观安全些。"

在发电厂的全景图中，到处是长长的管道、巨大的高塔和翻滚升腾的蒸汽。

"我从来没见过发电厂，它居然是这个样子的，它简直就是个金属迷宫！"宁宁感到很惊讶。

鲁克按了一下手机按键，墙上的照片忽然变成了建筑内部实景。这是一座砖结构房屋，在巨大的空间里，整齐地摆放着一个个大型机器。这里的金属管子更加密集。

"那些管子里充满了蒸汽。许多发电厂都是用火力发电的，它们通过烧煤、天然气或者石油来产生蒸汽，为发电机提供能量。"

蒋方补充："我记得有的发电厂能用水流动的力量进行发电，前几年，我们一家去参观过水电站。"

"对，还有风力发电站，它们利用的是风能。"

接下来的一张照片是一条巨大的金属管道，这条金属管道很粗，看起来能装得下汽车。

"这里面装的是涡轮机，它就像一台巨型风扇，有成百上千个涡轮叶片。蒸汽顺着管道被泵到包裹着涡轮机的金属套管里，不断冲击着涡轮机的扇叶，推动扇叶旋转，进而带动巨型轴的转动……"

下一张照片是一个更大的金属罩，鲁克指着照片，说："这个就是发电机。"

"哇，真想看看它里面是什么样子的。"宁宁很好奇。

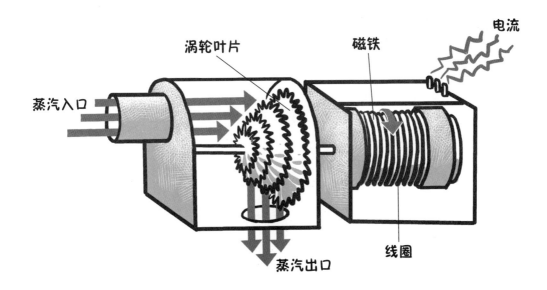

涡轮叶片　　　　磁铁　　　　电流

蒸汽入口

蒸汽出口

线圈

　　鲁克在手机屏幕上划动几下，发电机的金属罩一下子变成了透明的。

　　何敏指着发电机中巨大的线圈说："快看那个线圈，那里面的磁铁肯定大得像头河马！"

　　"看呀，磁铁在线圈中转动产生的电流，通过导线传输到了输电线中。"鲁克边比画边说，"不过，输电线不能直接连接到千家万户，因为它的电压太高了，会烧坏家里所有的电器。"

　　蒋方笑着说："我知道，就像充电器能将220伏的电压降到只有几伏那样，对吧？"

　　"完全正确！"鲁克按下手机按键，关闭了投影。

41

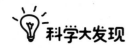

破解电码

蒋方拿起柠檬电池，仔细端详起来，"真没想到，电和磁之间居然还有这么密切的关系。"

"他们之间的关系确实十分密切。来，把柠檬电池给我。"鲁克拔下插在柠檬上的钉子和铜线然后把铜线一圈圈绕在钉子上，"如果现在给我一节电池……"

"这是什么？"宁宁好奇地问。

"如果把铜线的两端分别接到电池的正负极，那么这根钉子就会有磁性，变成电磁铁。"

"这么神奇？！"何敏觉得难以置信。

"真的很神奇！而且在电话发明之前，人们就是利用电磁铁的特性进行长距离交流的。"

伙伴们一下子就猜到鲁克要做什么了，大家赶紧凑在了一起。

一道闪光！

时空转换——

闪光过后，小伙伴们置身于一间满是画作的画室。房间

另一头，一位头发花白的先生正在全神贯注地制作木质架子，工作台上杂乱地放着电线、木条、台钳等物品。

"现在是 19 世纪 30 年代，这位是萨缪尔·摩尔斯先生，他是一位职业画家，不过，他还有一个更加响亮的名字——电报之父。他正在研制的这台电报机，是一种利用电流的'通断'和'长短'来代替文字进行传送的机器。"鲁克指了指那个木头架子，轻声对大家说，"当时，摩尔斯先生没钱去买那些昂贵的科研设备，于是他就地取材，用画室里的材料制作了这台电报机模型。"

"不必拘束，在我这里你们可以随便交流。"萨缪尔·摩尔斯似乎听到了伙伴们的交谈，他笑着对大家说，"许多人都希望通过电流传递信息，不过，我所研制的电报机应该是目前效果最好的方案，因为我配套发明了摩尔斯电码。"

"您能给我们详细介绍一下吗？"蒋方被眼前的电报机吸引住了，他迫不及待地请求。

"没问题！这个架子是我用木画框搭起来的，它虽然简陋了点儿，但还算结实。"摩尔斯先生一边自嘲，一边给大家讲解，"这是架子顶端的机械摇臂，在摇臂的下面，我设计安装了一个用来传动纸带的轮子，这样就能将信息记录在

纸带上了。"

"它是如何记录信息的呢？"宁宁追问。

"问得好！我在中间这道横梁上安装了电磁铁，用来控制木头摇臂运动。当给电磁铁供电和断电时，摇臂就会移动，在纸条上留下记号……"摩尔斯边说边演示，他用电磁铁上的导线控制电流，"当然，这只是电报机的简易结构，等这些基本功能都实现了，我就做一个更好的。"

大家认真地看着摩尔斯先生的演示。

44

　　"如果我快速接通电流然后切断的话，摇臂只能在纸上留下很短的一个记号。"摩尔斯轻击了几下电报机，大家看到纸条上留下了几个短短的记号。"当我接通电流并保持一段时间的话，那么摇臂就会在纸上留下一个长一些的记号。"摩尔斯轻击的时间比上次长了一些，大家看到纸条上留下了几条长线段。

　　"这段信息能通过电线进行传递！"摩尔斯自豪地说。鲁克满怀敬意地说："谢谢您，摩尔斯先生！您的这个设备真了不起！我们十分期待您的成果问世。"

　　"我想它应该能掀起一场信息传递的革命！"

　　"一定能！直到我们用上电子邮件和手机！"蒋方兴奋地附和。

　　摩尔斯没有听懂蒋方的话，他疑惑地盯着蒋方。

　　"您不用在意他的话。"鲁克赶忙打岔，"我们先告辞了，谢谢您，摩尔斯先生。"

　　"能够为你们讲解，我十分高兴！"说完，摩尔斯继续做实验了。

　　画室的场景消失了，大家回到了鲁克家的厨房。

　　宁宁眼睛一亮，她从口袋里又掏出那团写满奇怪符号的

纸片，看了又看，下雨前她就在和鲁克研究纸片上的内容，"就是这个！就是这张在我家储物间里发现的纸片！你们看，这上面的记号和摩尔斯电码很像呀！"

大家一下子围了过来，好奇地看着纸上的内容。

"好样的，宁宁！咱们赶紧去解开密码吧。"鲁克也很兴奋。

"当时人们是如何发送消息的呢？"何敏问。

鲁克说："试验成功后，摩尔斯先生和阿尔弗雷德·维尔共同研发出了一种杠杆电键。就是我们经常在影视作品里看到的那种按钮式的发报设备。"

"就像电灯开关那样？"何敏一边回忆，一边问。

鲁克竖起大拇指，"这个比喻真形象！从发报机发送出来的信息（电流）顺着导线传导出去，从一个电报站到达下一个电报站。这些线路有的用电线杆架设到空中，有的深埋在地下。"

"那么，收到信息的人该如何解密呢？"何敏又有了新问题。

"在信息接收端的设备名为音响器。当信息（导线中的电流）传送到音响器后，电流会使其中的铁块撞击电磁铁，

发出'嘀嗒——嘀嗒——'的声响。收报员可以通过撞击声音的长短来判断出其中的点和线。"

"听得我头好晕。感谢伟大的科技，让我能够拥有手机和电子邮件。要不然，为了收到一条信息，我还得记住一长串摩尔斯电码。"蒋方长出了一口气。

宁宁也有同感，"是呀，多亏科技进步。不过，以我们现在掌握的知识，能破解纸片上的信息吗？"

鲁克点点头，"没问题！我记得我的卧室里有一本书，是专门讲摩尔斯电码的。"

"太棒了！"大家一起欢呼起来。

很快，鲁克就从卧室拿来了一本书。蒋方举起荧光棒，让大家能清楚地看到纸片上的内容和书中对应的解释。

鲁克递给宁宁纸和笔，让她逐字翻译电码。

……

宁宁盯着那张纸片，激动地说："我破译完了！"

"上面写的什么？"何敏急切地问。

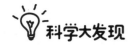

上面写的是——

康妮:

我们已顺利到达了目的地,我这边一切安好。

勿念。愿诸事顺遂。

祖安

"康妮?祖安?他们都是谁?"蒋方好奇地问。

宁宁想了一会儿,说:"妈妈告诉过我,祖安和康妮是我的五世祖父母,也就是我爸爸的爸爸的爸爸的爸爸的爸爸和妈妈。我记得他们应该是在 1849 年来到这里的。"

"哇哦,你爸爸的爸爸的爸爸的爸爸的爸爸和妈妈?真是太久远了,我仿佛触摸到了历史!"蒋方感叹。

"真不敢相信,我竟然在储物间里找到这张五世祖父母之间发送的电报。我已经迫不及待要回家给我妈妈看啦。"宁宁把纸片揣进兜里,走到窗边向外望去,"真希望雨能快点儿停。"

直流电和交流电的较量

　　鲁克忽然看到垃圾桶中有一个卫生纸筒芯，他灵机一动，拿起筒芯，然后到车库里找了一些铜线，把铜线绕在筒芯外面，"何敏，能帮我到餐具抽屉里拿把叉子来吗？"

　　"没问题！还需要别的吗？"

　　"在旁边的抽屉里还有两块磁铁和橡皮筋，麻烦用橡皮筋把两块磁铁绑在一起，谢谢！"鲁克一边绕铜线，一边说。

　　"说真的，在我家厨房里竟然放着同样的东西。这简直就是发明家工作室的标配啊。"何敏一边开玩笑，一边按照鲁克的要求绑好了磁铁。

　　"绕好啦！接下来要轻轻地……轻轻地……"鲁克小心翼翼地将筒芯从绕好的铜线圈中推了出来，"接下来，咱们把叉子把插到两块磁铁之间，再把它们插进铜线圈中转动……"鲁克用指尖轻捏着叉子，然后转动起来……

　　"何敏，把充电器递给我。"鲁克把铜线的两头分别连在充电器的两个插头上。他信心满满地转动叉子，希望手机屏幕能亮起来，结果却大失所望。

何敏想了想，说："咱们是不是需要更大的动力呢？你家客厅不是有跑步机嘛……"

"对呀！对呀！说不定还真行！走，咱们去看看。"伙伴们跟着鲁克来到了跑步机旁。

"现在停电了，跑步机没法工作呀。"宁宁突然想到了一个"关键"问题。

"没关系的，跑步机一般都有非电动模式，就在这里……"鲁克打开跑步机侧边的塑料盖，上下调整了几下里面的扳手，"调整好啦！现在传动带能自由运转了，谁想上去走走？"

"我来，我最喜欢运动！"宁宁自告奋勇，跳上了跑步机。

鲁克指挥大家："好了，大家往后站！预备——开始！"

宁宁跑了起来，"这个传送带的阻力真大，不过没问题，我跑得动！"在宁宁脚步的带动下，跑步机传送带滚动发出的噪声正缓缓升高。

"蒋方，麻烦把铜线圈、叉子和何敏的手机递给我……这里是跑步机的转轴，我把叉子插进转轴，这样它就能跟着转轴转动起来了。宁宁，你先休息会儿……"鲁克把叉子插进转轴里，"感觉挺结实的。宁宁，继续加速吧！"

随着宁宁的跑动，叉子跟着转动起来，很快，手机亮了一下，屏幕上显示："电量低，请充电。"

"成功啦！蒋方，麻烦把放在茶几上的那几本书递给我。"鲁克把书垫在手机和铜线圈下面，然后慢慢地松开双手。叉子开始稳稳地在铜线圈中转动起来，"我估计还要再等一会儿才能启动手机。"

大家都期待着手机能够赶紧启动，屋里的气氛变得有点儿紧张。大家只能听到屋外的雷雨声、宁宁的脚步声和各自的心跳声。

蒋方打破了沉默，他故意用阴森的语气说："夜黑风

高——狂风暴雨——嘿嘿嘿——哈哈哈——"

大家开心地笑起来。

"如果你们真的想来点儿刺激的，那我就给你们讲一个和电有关的故事吧。"鲁克坏笑着说。

"好啊，好啊，别卖关子，快点儿讲吧！"宁宁催促道。

"故事马上开始！"鲁克煞有介事地说，"托马斯·爱迪生是一位著名的发明家，他拥有2000多项发明专利，包括

留声机、电影摄影机、钨丝灯泡等，他还创办组建了一批发电厂呢。"

"就像刚才咱们参观的那种发电厂？"宁宁边跑边问。

"是的，不过电流的类型不太一样。爱迪生当时用的是直流电，我们常用'DC'表示直流电。"

"直流电？什么是直流电？"蒋方对这个名词感到十分陌生。

"直流电就是电流沿着导线单方向流动，在输电过程中，电流的大小和方向是不变的。"

"电池输出的就是直流电。"何敏举例说明。

"没错。不过，直流电在长距离传输的过程中损耗很大，因此，只有发电厂周边的人家才能获得充足的电。此外，直流电还会在传输和使用过程中产生大量的热，这样很容易造成用电设备损坏。"

"你的意思是，还有别的电？"何敏敏锐地察觉到了鲁克要表达的意思。

"哈哈，是的！另一种就是交流电，我们常用'AC'表示交流电。我们的家用电源用的都是交流电。"鲁克继续讲，"交流电不是顺着一个方向流动的，以我们的家用交流电为例，它会在一秒钟改变 50 次流动方向。交流电在一般情况下的传输效率很高。"

"那哪种更好呢？"蒋方问。

"在当时看来，是交流电胜出了。不过近几年，中国的一些科学家研制出一套直流的输电系统，它能够在特高压的环境下进行超远距离大容量输电。科技真是在不断向前发展啊！"鲁克感叹。

"这么厉害！"大家跟着惊叹起来。

"话说回来，特斯拉的胜利确实来之不易。当时，爱迪生为了阻止交流电推广，进行了一场宣传活动，想让大家知道交流电十分危险。他为了达到目的，甚至在公众面前用交流电电死了一头大象。"

"什么？！太可怕啦！"何敏吃惊地叫道。

"但另外一位发明家乔治·威斯汀豪斯非常认同特斯拉的观点，在他的支持下，他们的交流电系统成功为当时的世界博览会提供了供电服务。"鲁克绘声绘色地讲着，"看看能不能让比特帮忙，接替宁宁在上面跑一会儿，我想带你们去个地方。"

宁宁早已满头大汗，她快跑不动了。

"过来，小家伙！"蒋方招呼比特，然后把比特抱上了跑步机。

"向前跑，比特！"鲁克指挥比特。

比特呆呆地站在跑步机上看着鲁克，似乎没明白主人的意思。

"咱们在前面挂上一块狗饼干，怎么样？"蒋方提议。

"这主意真不错！"鲁克一边说，一边跑进厨房，拿了块狗饼干，然后用绳子把它挂在跑步机前方。

"比特，跑起来！"鲁克又一次命令。

只见比特飞身一扑，一下子叼住饼干美美地吃了起来。

"传送带还是没有转动呀。"鲁克很失望。

"咱们是不是得先让比特跑起来呀？"说着，宁宁便站

在比特身后，和比特一起在跑步机上跑了起来，"看，成功了！"

鲁克又挂上一块饼干，然后催促大家，"快来吧！咱们要去1893年的世界博览会喽！"

一道闪光！

时空转换——

闪光过后，周围的景象一下子变成了一片开阔的广场。此时已是日落时分，在大家头顶，悬挂着成千上万只尚未点亮灯泡，不远处，一座巨大的摩天轮整装待发。这里的人们身着礼服，成群结队地挤在各个展位前，参观体验各种各样新奇的玩意儿。

"那边那个人是谁？"蒋方指着远处舞台上一位手拿许多电线的先生问。

鲁克跟着望了过去，"他就是尼古拉·特斯拉。快，活动就要开始了！"

展会嘉宾拧动了金钥匙，一时间，整个广场灯火通明，在场的人发出连绵不绝的惊叹声和欢呼声。

"还没结束呢，接下来才是更加激动人心的时刻。"鲁克小声对大家说。

大家看到特斯拉紧握手中的电线，然后请助手合上开关，

让交流电的电流穿过他的身体。几秒钟过后，他扔下手中的电线，双手平摊，向大家展示自己毫发无损。

人们看到眼前的一幕，无不欢呼雀跃。

"特斯拉没事！他还活着！"宁宁也跟着呼喊起来。

鲁克感慨地说："是呀！他再次向公众证明了交流电是安全的。不过，这种展示方式实在是太危险了，我们千万不能尝试！"

"嗯，你说的对，无论如何，我们都要注意用电安全。"蒋方附和道，"对了，在回去之前，咱们能不能到展位上尝一尝爆米花和口香糖呀？"

鲁克大笑着说："没问题！我敢肯定，虚拟的食品既吃不胖，也吃不坏肚子。不过，咱们得快点儿。我觉得比特可能快累了。"

蒋方一溜烟跑到展位，抓了一把爆米花，塞进嘴里，然后笑着跑回朋友们身边。何敏不屑地瞟了蒋方一眼，她其实也很想尝尝。

大家哈哈大笑。

回到客厅之后，大家看到比特仍然在努力地奔跑，它已经累得吐着舌头喘气了。

终于开机了

"乖狗狗，你可真棒！"鲁克抚摩着比特的背，又挠了挠它的脖子。

"什么味道？蒋方吸了几下鼻子，"闻起来像是热巧克力。"

"蒋方，肚子饿的时候，你是不是闻什么都像热巧克力呀？"何敏和蒋方开玩笑。

"咱们看看去。"

伙伴们跟着鲁克来到厨房，看到炉子上放着一小锅热巧克力。

"你妈妈真的在做热巧克力呀！可她是怎么做的呢？现在停电了呀？"宁宁想不明白。

"我们家用的是煤气炉。"鲁克解释道。

"做热巧克力可是鲁克妈妈的看家手艺，这我知道！"蒋方一边说，一边咽了几下口水。

鲁克小心地把热巧克力倒进杯子里。这时，大家隐约听到客厅那边传来一连串轻微的嘀嘀声。

"是我的手机在响？"何敏有些不敢相信。她跑进客厅，拔下了连在手机上的插头。

"你真棒，比特！这是你的劳动所得，谢谢！"何敏轻轻拍了拍比特的头，然后她把饼干取下来，喂给了比特。

比特高兴地享用着自己通过劳动换来的美味，然后跟着何敏来到厨房，爬进自己的小窝里休息。

"我们居然成功啦，手机开机啦！妈妈给我发消息了。"何敏翻动着手机，兴奋地说，"妈妈问我和蒋方去哪儿了，让我赶快回消息。多亏了鲁克，要不妈妈就要担心了。"

"没什么……也就用了一个白天的工夫……"鲁克耸耸肩，笑着说。

何敏放下手机，拿起杯子，抿了一口浓香的热巧克力。

"这时，你应该品尝一下伽伐尼实验室里的电烤青蛙腿。"宁宁笑着说。

"我想那一定特别香！去

那里参观大概是我印象最深的一趟旅程。蒋方跟着说，"现在回想一下，他发现动物电的过程，还挺有意思的。"

"让我印象最深的非富兰克林放风筝莫属了，我想写一篇关于他的科学报告。"何敏兴奋地说。

"没错！富兰克林确实很勇敢！不过，我还是最喜欢萨缪尔·摩尔斯，他帮我看懂了我五世祖父发出的电报。"

"让我最兴奋的当属世界博览会了，特斯拉真的用交流电点亮了世界，他真是太伟大了。"鲁克崇敬地说。

突然，屋里的灯亮了起来，晃得大家赶忙眯起眼睛。

"听起来，你们今天的经历非常丰富嘛。"鲁克妈妈走进厨房，微笑着对大家说。

"谢谢您为我们做的热巧克力，我的身子一下子就暖和了。"宁宁跑到鲁克妈妈身边说。

"是呀，谢谢阿姨！"蒋方赶忙鞠了一躬。

"看来雨快停了。10 分钟以后我们就出发，现在我还有点儿事，再等我一会儿。"鲁克妈妈说。

"太好了，妈妈！这点儿时间，正好够我们把热巧克力喝完。"

蒋方指着比特，笑着说："看来，比特也很喜欢今天的冒险经历。"

此刻，比特早已侧卧在厨房角落的窝里进入梦乡，它四肢舒张，鼾声不断，爪子不时还抽搐几下。

"它肯定梦见自己在追饼干。"鲁克笑着说。

"也许是在追电子。"说完，蒋方哈哈笑了起来。

雨停了。

鲁克掏出手机，准备记录下今天的经历。

忽然，宁宁疑惑地看着鲁克。

"看我干吗？有什么事吗？"鲁克有点儿摸不着头脑。

62

　　宁宁慢悠悠地说："我有件事不太明白。你既然聪明到能制作一台小型发电机，为什么不把你的手机借给何敏，让她发一条消息呢？"

　　鲁克先是一愣，然后满脸通红，结结巴巴地说："这——我——"过了好一会儿，他才说出一句完整的话，"谁还要热巧克力？我来倒！"

　　大家顿时笑作一团。

和科学家面对面

本杰明·富兰克林

本杰明·富兰克林（1706—1790），美国物理学家、政治家。他进行过多项关于电的实验，还发明了避雷针。此外，他还是最早提出电荷守恒定律的人。

路易吉·伽伐尼

路易吉·伽伐尼（1737—1798），意大利动物学家，他在1791年发表了对蛙腿痉挛的研究成果，引起科学界的巨大反响。

亚历山德罗·伏特

亚历山德罗·伏特（1745—1827），意大利物理学家，因发明了伏打电堆而闻名于世。人们为了纪念伏特在物理学方面的伟大贡献，将电压的单位名称定为"伏特"，简称"伏"。

迈克尔·法拉第

迈克尔·法拉第（1791—1867），英国物理学家，他是一位自学成才的科学家。1831年10月17日，法拉第首次发现电磁感应现象，进而得到了产生交流电的方法。他在电磁学方面做出了的伟大贡献，被人们誉为"电学之父"。

萨缪尔·摩尔斯

萨缪尔·摩尔斯（1791—1872），美国发明家、画家，他所创立和发明的摩尔斯电码与电磁式电报机，让人们的交流变得更加便捷。

尼古拉·特斯拉

尼古拉·特斯拉（1856—1943），塞尔维亚裔美籍发明家、物理学家、电气工程师。他因设计制造出现今世界广泛应用的交流电（AC）系统而闻名于世。

著作权合同登记　图字：01-2020-4644 号

图书在版编目（ＣＩＰ）数据

神通广大的电 /（美）保罗·哈里森著 ； 许若青译
. -- 北京 : 中国少年儿童出版社，2022.1
（科学大发现）
ISBN 978-7-5148-7006-0

Ⅰ. ①神… Ⅱ. ①保… ②许… Ⅲ. ①电—少儿读物
Ⅳ. ①0441.1-49

中国版本图书馆CIP数据核字(2021)第183905号

SHENTONG GUANGDA DE DIAN
（科学大发现）

出版发行：中国少年儿童新闻出版总社
中国少年儿童出版社

出 版 人：孙 柱
执行出版人：赵恒峰

策划编辑：李晓平
　　　著：[美]保罗·哈里森
　　　译：许若青
装帧设计：于歆洋 安 帅 张 鹏

责任编辑：曹 靓
责任印务：刘 潋
责任校对：栾 銮

社　　　址：北京市朝阳区建国门外大街丙 12 号　　　　邮政编码：100022
编 辑 部：010-57526329　　　　　　　　　　　总 编 室：010-57526070
发 行 部：010-57526568　　　　　　　　　　　官方网址：www.ccppg.cn

印刷：北京圣美印刷有限责任公司

开本：710mm×1000mm　　　1/16　　　　　　　　　印张：4.75
版次：2022 年 1 月第 1 版　　　　　　　　印次：2022 年 1 月北京第 1 次印刷
字数：80 千字　　　　　　　　　　　　　　　　　　印数：1—6000 册

ISBN 978-7-5148-7006-0　　　　　　　　　　　　　　定价：29.80 元

图书出版质量投诉电话 010-57526069，电子邮箱：cbzlts@ccppg.com.cn